Gallimard Jeunesse / Giboulées sous la direction de Colline Faure-Poirée

© Gallimard Jeunesse, 2005
ISBN : 978-2-07-055489-8
Premier dépôt légal : mai 2005
Dépôt légal : juin 2009
Numéro d'édition : 170231
Loi n° 49956 du 16 juillet 1949
sur les publications destinées à la jeunesse
Imprimé et relié en France par *Qualibris/Kapp*

Luna la Petite Ourse

Antoon Krings

GALLIMARD JEUNESSE / GiBOULÉES

À force de vouloir décrocher la lune, Carole la luciole finit par décrocher… une casserole! Quand elle la découvrit au sol, rutilante mais cabossée, notre fée fut très embarrassée : «Ah non, dit-elle, je veux bien avoir la tête dans les étoiles, mais pas le nez dans une casserole, fût-elle céleste.»
Pendant qu'elle cherchait quelques mots magiques pour se débarrasser de l'ustensile, un bruit sourd – *dong!* – résonna et la fit sursauter vivement. «Y'a quelqu'un? demanda Carole en scrutant avec inquiétude le rebord de la casserole. Répondez, voyons, c'est pas drôle!»

Elle était prête à s'envoler lorsqu'elle entendit une voix plaintive. «Sans doute une petite bête égarée, pensa la luciole en s'armant de sa baguette magique. J'espère seulement qu'elle ne pique pas!» Elle s'avança prudemment, tous feux éteints, à travers l'obscurité et aperçut enfin une chose un peu pataude qui sortait de la casserole et ne ressemblait en rien aux petites bêtes du jardin. Intriguée, Carole observa quelques instants ce mystérieux animal dont la fourrure scintillait dans la nuit comme un petit morceau de ciel étoilé.

– Hum… bonsoir, dit-elle en s'efforçant de paraître la plus naturelle possible. Excuse-moi… je ne veux pas être indiscrète, mais qui es-tu ?

– Je suis la petite ourse, répondit la céleste créature, et je m'appelle Luna.

– Enchantée, enchantée, moi c'est Casserole, s'exclama la luciole un peu nerveusement. Et puis-je savoir par quel chemin tu es entrée dans le jardin ?

– Par quel enchantement ai-je atterri ici… ça, je l'ignore, dit la petite ourse les yeux fixés au ciel. Mais quel terrible voyage, j'en suis encore tout étourdie.

– C'est bien ce que je pensais, soupira la luciole en levant à son tour les yeux au ciel. Et il fallait que ça tombe sur moi, comme si une casserole ne me suffisait pas.

À ces mots, la petite ourse enfouit son museau sous ses deux pattes et se mit à sangloter.

– Allons, allons, ce n'est pas le moment de pleurnicher, s'impatienta Carole en lui tendant la main. Demain soir je réparerai cet accroc dans le ciel. En attendant, le jour va bientôt se lever et il faut aller se coucher.

La petite ourse essuya une ou deux larmes du revers de sa patte.

– C'est que j'ai eu peur, gémit-elle en marchant à ses côtés. J'ai bien cru que je n'en finirais jamais de tomber.

– Eh bien rassure-toi, lui dit la luciole en la faisant entrer chez elle. La seule chose que tu risques ici, c'est de tomber du lit.

Après avoir compté des moutons qui
ressemblaient de plus en plus à des oursons,
la fée Carole tomba dans un profond sommeil.
Blottie tout contre elle, la petite ourse aurait
bien voulu en faire autant, mais elle ne parvenait
pas à s'endormir. Un rayon de soleil se faufilait
entre les rideaux et s'amusait à la titiller de sa
clarté comme pour lui chuchoter à l'oreille :
« Debout, debout ! C'est le matin. » Bientôt,
la rumeur d'une agitation lointaine éveilla sa
curiosité. Elle se glissa hors du lit et, tout en
suivant le rai de lumière, traversa la chambre
à pas feutrés.

Un instant plus tard, elle avait enjambé le rebord de la fenêtre pour atterrir en douceur sur un tapis de fleurs. Éblouie par la beauté du jardin qu'elle découvrait pour la première fois au grand jour, Luna, qui n'avait connu jusqu'ici que le scintillement des étoiles, leva ses deux petites pattes de devant et s'écria : « Oh quelle merveilleuse petite planète ! » Puis, soudain, en proie à une joyeuse excitation, elle dansa la danse des ours et se roula dans l'herbe tiède, goûtant avec bonheur la chaleur bienfaisante du soleil.

Tandis que Luna vagabondait au milieu d'un rêve délicieux, Carole, encore endormie, tentait désespérément de chasser de ses rêves moutonneux un terrible cauchemar qui s'appelait Grande Ourse, et qui la pourchassait impitoyablement jusqu'au fond de son lit avec une énorme casserole. «Assez! Pitié! Reprenez-la, votre petite ourse. Je n'en ai jamais voulu d'abord!» cria la luciole juste avant de se réveiller. «Je voulais seulement une étoile, gémit-elle, rien qu'une toute petite étoile pour ma baguette magique.» C'est alors qu'elle s'aperçut avec stupeur que Luna avait disparu. «Oh ciel! s'écria-t-elle en se précipitant dans le jardin. Mais par où a-t-elle bien pu passer?»

Affolée et complètement désorientée par la lumière aveuglante du soleil, la luciole se mit à tournoyer dans tous les sens, puis à se cogner de tous côtés.

– Ben alors ! Qu'est-ce qu'elle fait, la fée ? Elle est tombée sur la tête ou j'rêve, bourdonna soudain une voix familière.

Reconnaissant aussitôt le bourdon, Carole fit une nouvelle embardée et vola droit sur lui.

– Dis, Léon, t'aurais pas vu un ours ?

– Un ours ? Mais bien sûr que j'en ai vu un, Carole, et pas plus tard que ce matin. Tiens, d'ailleurs le voilà qui revient. Eh Benjamin, amène-toi ! Y'a la fée du logis qui te cherche partout.

– Mais tais-toi, lui dit la luciole en baissant la voix. Je ne parlais pas de ce vieil ours mal léché.

– Bonjour, bonjour, tout le monde. Comment ça va ? lança le lutin de fort bonne humeur ce matin-là. Alors, il paraît qu'on me cherche partout ?

– Non, rien, dit Léon. C'est Carole qui a perdu son nounours.

– Son nounours ! Oh ! Oh ! Oh ! s'esclaffa Benjamin. Cette vieille fille lunatique a un nounours. Oh ! Oh ! Oh ! Comme c'est drôle, comme c'est amusant !

– Et touchant… renchérit le bourdon d'un air moqueur. Et ridicule et…

La luciole n'était vraiment pas d'humeur à écouter les railleries de nos deux compères. Aussi, sans plus attendre, elle leur tourna le dos et disparut en zigzaguant.

Pendant ce temps, Luna poursuivait son chemin à travers le jardin. Elle y trouvait toutes sortes de merveilles, joyeuses ou odorantes, douces ou accueillantes comme cette maisonnette qu'elle aperçut soudain, cachée sous un rosier.

« Oh, quelle formidable petite maison ! s'exclama-t-elle en poussant la porte. Et quel délicieux parfum ! »

Ce qui se passa ensuite chez Mireille partie de bon matin butiner ses chères fleurs, Carole le découvrit beaucoup plus tard dans la journée, quand, après des heures de recherches, elle trouva enfin au pied du rosier de l'abeille un pot, puis deux pots, puis trois pots de miel vides et, à côté du troisième pot, un gros « nounours » endormi, couleur miel.

– Oh non, c'est pas vrai! s'écria la fée catastrophée. Regarde-toi! Mais regarde-toi! Dans quel état tu t'es mise!

– Bon, trop bon, le miel… marmonna Luna, encore engluée dans ses pensées gourmandes.

– Et l'abeille piquante, très piquante! répliqua la luciole en la chatouillant de sa baguette magique.

La petite ourse ouvrit un œil :

– Que disais-tu, Casserole?

– Je disais qu'il faut filer dare-dare si tu ne veux pas te faire piquer par l'abeille, et te débarbouiller au plus vite, s'écria la luciole, en la tirant par la patte.

La nuit tomba si brusquement sur le jardin que lorsqu'elles arrivèrent à la mare, la lune s'y baignait déjà, entourée de tout un cortège d'étoiles. Il y avait Petit Chien, Grand Chien, Orion, Persée, Dauphin bien sûr et surtout… Grande Ourse, qui lançait des appels de phares désespérés.

On n'aurait pu rêver plus charmant tableau si Luna, voulant rejoindre les siens, n'avait brouillé toute l'image.

– Qui ose troubler l'eau de mon bain ? demanda la lune en frissonnant.

Aussitôt, un cortège de petites voix lui répondit :

– C'est Luna ! C'est Luna !

– Juste ciel ! Luna ! Mais que fait-elle là ? Grande Ourse la cherche partout ! dit la lune avant de demander, intriguée : Et quelle est cette curieuse loupiote qui s'agite autour d'elle ?

Cette fois, les petites voix ne surent que répondre.

– C'est une étoile filante, murmura Luna, qui avait repris sagement sa place auprès de la grande ourse.

– Eh bien dites-lui qu'elle cesse de s'agiter ainsi, dit la lune en fronçant sa bouille ronde. Ces étoiles filantes me font tourner la tête !